Vendredi ou la vie sauvage

FichesdeLecture.com

Vendredi ou la vie sauvage (Fiche de lecture)

I. INTRODUCTION

Le philosophe Michel Tournier est venu tardivement, mais avec succès à la littérature.

Passionné de mythes et de légendes, il a publié de nombreux romans reprenant des thèmes qui lui étaient chers. Parmi ses œuvres, on peut par exemple citer Le *Roi des Aulnes* (1970, mythe de l'Ogre), *Les Météores* (1975) et *Gaspard, Melchior et Balthazar.*

Avec *Vendredi ou la vie sauvage,* publié en 1977, Michel Tournier a réussi un double tour de force : celui de reprendre le mythe de Robinson Crusoé (créé par Daniel Defoe en 1719) et, après en avoir réécrit une première version (*Vendredi ou les limbes du Pacifique,* publié en 1967), avoir consacré ce roman à une histoire destinée aux enfants.

Cette réécriture d'un mythe destinée à la jeunesse est particulièrement réussie. Comme le déclarait Michel Tournier : une « œuvre ne peut aller à un jeune public que si elle est parfaite. Toute défaillance la ravale au niveau des seuls adultes. L'écrivain qui prend la plume en visant aussi haut obéit donc a une ambition sans mesure »

Nous allons voir dans cette fiche comment s'organise ce roman.

II. RÉSUMÉ DU ROMAN

Nous sommes au XVIIIe siècle. Au cours de l'année 1759, un navire anglais baptisé la *Virginie* fait naufrage lors de sa traversée en direction du Chili, où l'équipage souhaite faire du commerce.

Le 29 septembre, une tempête vient violemment frapper le navire. Le choc est terrible puisque le bateau fait naufrage. Seul un survivant échoue sur une île déserte, après avoir nagé : il s'agit de Robinson.

Dans son malheur, il garde toutefois pour compagnon un chien nommé Tenn.

L'île n'est apparemment peuplée que d'animaux. Les premiers jours donc, Robinson est profondément accablé et se laisse aller à sa tristesse en s'allongeant dans la boue, désespéré, avec la volonté de s'y endormir et d'oublier son malheur. Mais peu à peu, la vie reprend et le naufragé prend en main son existence sur l'île.

Il commence par la baptiser en l'appelant « Speranza », puis il organise sa vie quotidienne en compagnie de son chien. Élevage, agriculture (pour la viande et les céréales), construction d'une sorte d'abri en cas d'attaque ennemie, établissement de lois, malgré le caractère apparemment dérisoire d'une telle mesure pour un rescapé qui vit seul. Il décide aussi de stocker ses vivres dans une grotte proche de là.

Malgré ces activités, la solitude est difficile à supporter.

Robinson arpente l'île ; mais un jour, lors d'une exploration un peu plus poussée, il est le témoin d'une scène étrange. Un groupe d'indigènes est en train de pratiquer un rituel sacrificiel. La tribu, pour des raisons religieuses, est sur le point de tuer l'un des siens. Robinson le sauve de justesse et le prend sous son aile. Il le nomme Vendredi, car c'est le jour où il a sauvé la vie de l'Indien.

La vie reprend donc dans le domaine de Robinson, mais avec ce nouvel habitant qu'est Vendredi. Robinson veut lui apprendre l'anglais, ses coutumes, etc. Néanmoins, la tâche se révèle bien moins évidente que ne le pensait le jeune Anglais. En effet, l'Indien se montre souvent indocile et maladroit : il multiplie les bêtises.

Un jour d'ailleurs, Vendredi fait exploser par erreur les barils de poudre stockés dans la grotte de Robinson. C'est un évènement terrible pour le naufragé Anglais, car non seulement tout ce qu'il y avait réuni a été détruit lors de l'explosion, mais en plus Tenn y est resté.

L'explosion marque donc un tournant dans le roman. Tant le mode de vie des deux personnages change, que le lien particulier qu'ils entretenaient tous les deux jusque-là, malgré leurs grandes différences.

Désormais, Robinson ne se comporte plus comme le maître des lieux et cesse d'imposer ses règles. Tous deux adoptent le mode de vie de l'Indien. Par exemple, Vendredi voit la cadence de travail quotidien qui lui était imposée considérablement diminuer, tandis que Robinson essaie désormais de lui apprendre un maximum de connaissances.

Vendredi et Robinson cessent de se disputer ou d'être dans le conflit en permanence. Ils échangent réellement, jouent, se moquent d'eux-mêmes et apprennent ainsi beaucoup l'un de l'autre. Par exemple, ils jouent le rôle de l'autre, devenant tour à tour maître puis serviteur.

Robinson change donc du jour au lendemain, moralement, mais aussi physiquement.

Un nouvel évènement vient troubler leur vie sur l'île : le 22 décembre 1787, un navire anglais, le *Whitebird*, accoste sur l'île déserte. Les réactions des protagonistes sont différentes : Robinson comprend que ses 28 années de vie de naufragé sur Speranza l'ont tellement transformé qu'il n'a plus envie de repartir retrouver la civilisation humaine. Vendredi, au contraire, choisit d'embarquer en secret sur le navire.

Au final, un nouvel arrivant vient partager la vie de Robinson : il s'agit de Dimanche, un jeune mousse qui a pris la fuite du *Whitebird* après y avoir subi de nombreux mauvais traitements. Bien décidé à vivre heureux, il rejoint Robinson, dont le mode de vie et la bonté lui semblent particulièrement heureux.

III. PRÉSENTATION DES PERSONNAGES PRINCIPAUX

Robinson

Dans cet ouvrage comme dans ceux qui l'ont précédé, Robinson reste le héros du roman, même si le titre choisi par Michel Tournier porte plutôt sur Vendredi.

Le jeune Anglais n'a que 22 ans lorsqu'il fait naufrage et échoue sur Speranza. Mais ces 22 ans ont été déterminants, puisqu'ils lui ont fait vivre ce que la civilisation de son époque et de son pays pouvait lieu apporter, tant au niveau des valeurs que des techniques et de son mode de vie à venir.

Robinson évolue radicalement dans ce roman. Certes, il reste un homme plein de détermination et de courage, malgré ses premiers moments de désespoir. Mais c'est aussi un travailleur assidu aux ressources et à l'imagination importantes.

Son évolution est plutôt à rechercher au niveau de son rapport avec Vendredi et, plus généralement, avec le mode de vie que l'on pourrait qualifier de « sauvage » (une expression, précisons-le, dépourvue de toute connotation condescendante ou négative).

Dans un premier temps, après avoir sauvé Vendredi, il se montre particulièrement dur, voire tyrannique avec lui. Il essaie de lui imposer son mode de vie occidental, car, en tant qu'Anglais, il se sent seul détenteur de la civilisation et du savoir. Le Robinson de la première partie du roman est donc plutôt arrogant et fermé, dans cette perspective.

L'explosion de la grotte a donc une portée métaphorique et symbolique, puisqu'elle marque aussi l'explosion de la base « anglaise » mise en place par Robinson. À partir de ce moment, il s'ouvre à Vendredi et à un nouveau mode de vie, accepte de se contenter des plaisirs offerts sur l'île et cesse de mépriser Vendredi en le regardant de haut et en l'accablant de travail.

On voit aussi qu'il n'est pas égoïste puisqu'il pense à ses animaux lorsque l'équipage du *Whitebird* pille la prairie. À la fin du roman, il est si transformé et stable qu'il est en mesure d'accueillir le jeune mousse à ses côtés.

Vendredi

Nous ne savons pas exactement quel âge a Vendredi, mais il est certain que l'Indien sauvé par Robinson est assez jeune.

Vendredi et Robinson sont extrêmement différents lorsqu'ils commencent à vivre ensemble. L'Indien vit au jour le jour et aime profiter des petits plaisirs de la vie, au contraire de l'Anglais qui veut lui imposer un rythme de travail assez lourd.

Vendredi aime s'amuser et se montre d'ailleurs très inventif. Il joue à se déguiser avec des vêtements et des bijoux occidentaux.

Est-ce en raison de son jeune âge ou de son mode de vie passé qu'il n'est pas blasé comme Robinson ? En tout cas, Vendredi a besoin de vivre de nouvelles choses, de s'ouvrir au monde, d'être curieux en permanence.

Cela explique notamment sa décision de partir sur le navire à la fin de l'histoire.

Dimanche

Dimanche est le nom donné à un jeune mousse arrivé sur l'île sur le *Whitebird*. Il a subi de nombreuses maltraitances sur le navire et a décidé de s'en échapper pour construire une nouvelle existence.

Il prend donc la place de Vendredi aux côtés de Robinson, attiré par le mode de vie de ce dernier et par le fait qu'il pourrait trouver le bonheur en apprenant à ses côtés et en restant sur Speranza.

L'équipage du *Whitebird*

Après des années d'éloignement de la civilisation, leur arrivée est un bouleversement négatif pour l'équilibre de la vie sur l'île. Ils pillent la prairie, privant ainsi les chèvres de nourriture, et perturbent la tranquillité de Robinson. Mais ils permettent aussi au héros de comprendre qu'il ne veut pas repartir, tandis que Vendredi fait au contraire le choix de découvrir de nouveaux horizons.

III. AXES DE LECTURE DE L'OEUVRE

La reprise des thèmes fondateurs du mythe de Robinson Crusoé

Vendredi ou la vie sauvage s'inscrit dans la lignée de *Robinson Crusoé,* le célèbre roman de Daniel Defoe. Au-delà de la célébrité de ce naufragé imaginé par le romancier, c'est un véritable mythe qui a été créé avec Robinson.

Un mythe désigne une histoire ou un personnage incarnant de manière symbolique une tendance des humains, des éléments de la condition humaine auxquels on peut se rattacher universellement et à travers les époques.

Pourquoi ce personnage et son naufrage sont-ils particulièrement évocateurs pour les êtres humains, alors que son expérience de naufragé est quelque chose de rare ? C'est parce qu'on y reconnaît plusieurs éléments fondamentaux de l'existence humaine :

- le poids de la solitude loin des siens et de sa société
- les tentations de céder aux faiblesses humaines : paresse, domination, suicide
- le goût de la liberté et de la découverte

La question de la civilisation

La civilisation est au cœur des interrogations de ce roman, comme de ses prédécesseurs.

Robinson pense incarner la civilisation, ce qui lui donne l'idée de reproduire son mode de vie occidental pour survivre sur l'île. Il redouble donc d'efforts, de travail et d'organisation et essaie de « convertir » Vendredi à cette vision. Robinson va jusqu'à inventer des lois, ce qui fait peu de sens sur Speranza.

L'intérêt de son évolution personnelle sur l'île est de montrer le moment où il finit par se détacher de cette vision manichéenne entre civilisation et vie sauvage. Il cesse de penser que sa vision est la meilleure et que la vie qu'il estime civilisée est la plus appropriée. L'explosion, nous y revenons, a donc une double portée : au niveau de l'histoire, mais aussi au niveau symbolique et philosophique. Dès lors, Robinson se range au mode de vie de l'Indien, plus axé sur la nature et adapté à l'île.

L'arrivée de l'équipage après quasiment 30 ans de solitude souligne de nouveau le fait que la vie civilisée n'est en fait pas un modèle absolu. Les hommes se comportent en brutes et en pillards.

Le personnage de Robinson est donc d'autant plus intéressant qu'il a connu les deux types de vie et peut nous en livrer les résultats de leur confrontation. Ce n'est pas le cas pour Vendredi et Dimanche.

Un roman adapté pour la jeunesse

Vendredi ou la vie sauvage fait suite à *Vendredi ou les limbes du Pacifique*, roman de Michel Tournier qui revenait déjà sur l'histoire de Robinson Crusoé.

Mais dans le roman qui nous intéresse ici, Tournier s'est efforcé d'orienter l'histoire vers un lectorat plus jeune. L'histoire est plus courte (environ 25% du livre précédent) et ponctuée d'illustrations.

Le romancier a donc créé une œuvre destinée à faire rêver, mais aussi réfléchir les plus jeunes de ses lecteurs. Le vocabulaire est simplifié et les réflexions les plus élaborées de Robinson ont été écartées de l'œuvre.

De plus, Michel Tournier, et cela se voit bien dans le choix du titre, a voulu donner une place d'importance à Vendredi. Lui-même l'a justifié en ces mots en 2006, dans les *Vertes lectures* : « *Je voulais réhabiliter Vendredi. Dans la plupart des robinsonnades, il est supprimé. Chez Defoe, c'est un* sous-homme. *Seul compte Robinson parce qu'il est blanc, chrétien et surtout anglais. Vendredi a tout à apprendre de lui. Dans mon roman, la supériorité de Robinson sur Vendredi ne cesse de s'effriter. Finalement, c'est Vendredi qui mène le jeu et enseigne à Robinson comment on doit vivre sur une île déserte du Pacifique. J'ai fait le tour du monde avec ce petit livre. J'ai parlé avec des enfants de tous les pays qui l'avaient lu. J'ai constaté que la plupart des enfants occidentaux aiment et admirent Vendredi parce qu'il incarne pour eux la joie et le plaisir de vivre. »*

Dans la même collection en numérique

Escadrille 80

Inconnu à cette adresse

La controverse de Valladolid

Les Vilains petits canards

Une partie de campagne

Cahier d'un retour au pays natal

Dora Bruder

L'Enfant et la rivière

Moderato Cantabile

Alice au pays des merveilles

Le faucon déniché

Une vie

Chronique des Indiens Guayaki

Je voudrais que quelqu'un m'attende quelque part

La nuit de Valognes

Œdipe

Disparition Programmée

Education européenne

L'auberge rouge

L'Illiade

Le voyage de Monsieur Perrichon

Lucrèce Borgia

Paul et Virginie

Ursule Mirouët

Discours sur les fondements de l'inégalité

L'adversaire

La petite Fadette

La prochaine fois

Le blé en herbe

Le Mystère de la Chambre Jaune

Les Hauts des Hurlevent

Les perses

Mondo et autres histoires

Vingt mille lieues sous les mers

99 francs

Arria Marcella

Chante Luna

Emile, ou de l'éducation
Histoires extraordinaires
L'homme invisible
La bibliothécaire
La cicatrice
La croix des pauvres
La fille du capitaine
Le Crime de l'Orient-Express
Le Faucon malté
Le hussard sur le toit
Le Livre dont vous êtes la victime
Les cinq écus de Bretagne
No pasarán, le jeu
Quand j'avais cinq ans je m'ai tué
Si tu veux être mon amie
Tristan et Iseult
Une bouteille dans la mer de Gaza
Cent ans de solitude
Contes à l'envers
Contes et nouvelles en vers
Dalva
Jean de Florette
L'homme qui voulait être heureux
L'île mystérieuse
La Dame aux camélias
La petite sirène
La planète des singes
La Religieuse
1984 A l'Ouest rien de nouveau
Aliocha
Andromaque
Au bonheur des dames
Bel ami
Bérénice
Caligula
Cannibale
Carmen

La peau de chagrin

La Petite Fille de Monsieur Linh

La Photo qui tue

La Plage d'Ostende

La princesse de Clèves

La promesse de l'aube

La Vénus d'Ille

La vie devant soi

L'alchimiste

L'Amant

L'Ami retrouvé

L'appel de la forêt

L'assassin habite au 21

L'assommoir

L'attentat

L'attrape-coeurs

Le Bal

Le Barbier de Séville

Le Bourgeois Gentilhomme

Le Capitaine Fracasse

Le chat noir

Le chien des Baskerville

Le Cid

Le Colonel Chabert

Le Comte de Monte-Cristo

Le dernier jour d'un condamné

Le diable au corps

Le Grand Meaulnes

Le Grand Troupeau

Le Horla

Le jeu de l'amour et du hasard

Le Joueur d'échecs

Le Lion

Le liseur

Le malade imaginaire

Le Mariage de Figaro

Le meilleur des mondes

Le Monde comme il va

Le Parfum

Le Passeur

Le Petit Prince

Le pianiste

Le Prince

Le Roman de la momie

Le Roman de Renart

Le Rouge et le Noir

Le Soleil des Scortas

Le Tartuffe

Le vieux qui lisait des romans d'amour

L'Ecole des Femmes

L'Ecume Des Jours

Les Bonnes

Les Caprices de Marianne

Les cerfs-volants de Kaboul

Les contes de la Bécasse

Les dix petits nègres

Les femmes savantes

Les fourberies de Scapin

Les Justes

Les Lettres Persanes

Les liaisons dangereuses

Les Métamorphoses

Les Mouches

Les Trois mousquetaires

L'étrange cas du Dr Jekyll et de Mr Hyde

L'Ile Au Trésor

L'île des esclaves

L'illusion comique

L'Ingénu

L'Odyssée

L'Ombre du vent

Lorenzaccio

Madame Bovary

Manon Lescaut

Micromégas
Mon ami Frédéric
Mon bel oranger
Nana
Ne tirez pas sur l'oiseau moqueur
Notre-Dame de Paris
Oliver twist
On ne badine pas avec l'amour
Oscar et la dame rose
Pantagruel
Le Misanthrope
Perceval ou le conte du Graal
Phèdre
Ravage
Roméo et Juliette
Ruy Blas
Sa Majesté des Mouches
Si c'est un homme
Stupeur et tremblements
Supplément au voyage de Bougainville
Tanguy
Thérèse Desqueyroux
Thérèse Raquin
Ubu Roi
Un Barrage contre le Pacifique
Un long dimanche de fiançailles
Un secret
Vendredi ou la vie sauvage
Vipère au poing
Voyage au bout de la nuit
Voyage au centre de la terre
Yvain ou le Chevalier au lion
Zadig

À propos de la collection

La série FichesdeLecture.com offre des contenus éducatifs aux étudiants et aux professeurs tels que : des résumés, des analyses littéraires, des questionnaires et des commentaires sur la littérature moderne et classique. Nos documents sont prévus comme des compléments à la lecture des oeuvres originales et aide les étudiants à comprendre la littérature.

Fondé en 2001, notre site FichesdeLectures.com s'est développé très rapidement et propose désormais plus de 2500 documents directement téléchargeables en ligne, devenant ainsi le premier site d'analyses littéraires en ligne de langue française.

FichesdeLecture est partenaire du Ministère de l'Education du Luxembourg depuis 2009.

Plus d'informations sur www.fichesdelecture.com

ISBN: 978-2-511-02820-9

Notes :

Printed in Great Britain
by Amazon

81383204R00020